CLAUDE DEBUSSY

Études
Livres I et II

Édition de Claude Helffer

DURAND

Avertissement

Cette édition critique des *Études* constitue un tiré à part des
ŒUVRES COMPLÈTES DE CLAUDE DEBUSSY,
Série I, volume 6.

Note

This critical edition of *Études* is an excerpt from the
COMPLETE WORKS OF CLAUDE DEBUSSY,
Series I, volume 6.

Études

AVANT-PROPOS

La première guerre mondiale qui débute en août 1914 a fortement traumatisé Claude Debussy, il en est résulté une cessation totale de son activité compositionnelle. Ce vide musical absolument complet, n'est sûrement pas sans rapport avec le mal inexorable (un cancer du rectum) dont il est atteint et qu'il semble ignorer. En dépit des circonstances, il a accepté de l'éditeur Durand dont il se sent débiteur le travail de préparation d'une édition complète des œuvres de Chopin, les éditions usuelles d'origine germanique n'étant plus accessibles. Le travail est terminé en février 1915 et, le 30 juin suivant, il écrit à Durand qu'il a hâte de quitter Paris car il a « quelques idées ». C'est ainsi que le 12 juillet il s'installe avec sa femme à Pourville, petite station balnéaire à quelques kilomètres à l'ouest de Dieppe. Les Debussy ont loué la villa « Mon coin » située sur une falaise qui domine à la fois la mer et la plage de galets. La maladie est entrée en rémission et le compositeur retrouve la « faculté de penser musicalement ». Ainsi, pendant les trois mois du séjour, il achève *En blanc et noir* pour deux pianos, la première *Sonate pour violoncelle et piano* et la deuxième pour flûte, alto et harpe ainsi que les douze Études.

La première allusion aux Études, faite dans une lettre à Durand du 5 août, laisse entendre que Debussy avait déjà mis son éditeur au courant. Grâce à des indications qu'il a notées dans un calendrier, nous savons très précisément qu'il y travailla entre le 25 juillet et le 29 septembre. Peu après son retour à Paris, probablement le 12 octobre, Debussy s'en fut jouer lui-même ses Études à son éditeur comme il avait l'habitude de le faire pour ses nouvelles œuvres. C'est sans doute à ce moment là que l'ordre des Études, réparties en deux livres (comme chez Chopin), fut définitivement arrêté (alors que l'ordre primitif était tout différent) et que fut décidée la rédaction de « quelques mots » expliquant pourquoi l'auteur refusait de mettre des doigtés.

Mais bientôt prit fin cette période de rémission qui, dans l'évolution de la maladie, avait permis la floraison de Pourville. En février 1916, Debussy interroge Durand : « que deviennent les épreuves des Études ? C'est à peu près le seul travail auquel je puisse me livrer ». Finalement le premier livre paraît le 19 avril, le second le 3 juin.

Ricardo Viñes ayant semble-t-il perdu la faveur de Debussy, ce dernier destinait l'intégrale des Études au pianiste américain d'origine allemande, Walter Rummel, ce même pianiste qui avait déjà joué quelques Préludes aux États-unis mais surtout qui avait assuré avec sa femme, Thérèse Chaigneau, la création de *En blanc et noir* à l'hôtel particulier de la princesse de Polignac en janvier 1916.

Curieusement les premières Études à être jouées furent les Études X et XI le 21 novembre 1916 à New York, Aeolian Hall par George Copeland. Puis, Walter Rummel en exécuta quatre (lesquelles ?) à Paris le 14 décembre dans le salon de la comtesse Orlowska pour « L'aide affectueuse aux musiciens » ; vinrent ensuite d'autres exécutions partielles du vivant du musicien : Madeleine Chossat joua les Études I, IV et V au Casino Saint-Pierre à Genève le 7 juin 1917 et Marguerite Long les Études XI, X et I à la Société Nationale de Musique le 10 novembre 1917 ; cette dernière les avait travaillées avec l'auteur à Biarritz durant la fin de l'été. Enfin la pianiste genevoise Marie Panthès joua sept Études dans un concert où chacune des pièces était mise en parallèle avec des Études de Chopin. Debussy en fut informé par son ami Robert Godet et ce concert original précéda de très peu la mort du compositeur en mars 1918.

On ne sait rien de l'accueil du public lors des premières auditions ; il est à noter que les pianistes de l'entre-deux guerres n'ont pas semblé très intéressés par ces études, excepté à Vienne où Schönberg, dans le programme de sa « Société pour des exécutions musicales privées » a inscrit trois fois les Études (deux exécutions intégrales, une partielle) avec Eduard Steuermann au piano. Souvent les études étaient considérées comme l'œuvre plutôt « intellectuelle » d'un compositeur dont les facultés étaient diminuées.

Un changement d'attitude s'est opéré après la Seconde Guerre mondiale et Messiaen a été l'un des premiers à analyser les Études dans son enseignement. Par la suite, les jeunes compositeurs tels Boulez et Barraqué se sont penchés avec passion sur les dernières œuvres de Debussy et spécialement sur les Études.

PRINCIPES D'ÉDITION

Le texte publié ici est le même que celui établi pour l'édition des ŒUVRES COMPLÈTES DE CLAUDE DEBUSSY, série I, volume 6. On trouvera le détail des principes éditoriaux et les variantes relatives aux différentes sources dans les Notes critiques de ce volume. Les silences et altérations éditoriaux apparaissent en petits caractères. Les liaisons ainsi que les soufflets de crescendo et de decrescendo ajoutés par l'éditeur sont indiqués comme suit : ⌢—⌢, ◁—, ▷——. Toute indication entre crochets [ ] est éditoriale. Les mentions entre parenthèses ( ) viennent des sources et ne sont pas des ajouts éditoriaux.

Les sources sont principalement un manuscrit de travail, le manuscrit ayant servi à la gravure, déposé à la Bibliothèque nationale de France et l'édition originale. De plus il a été tenu compte des corrections relevées sur l'exemplaire personnel de Walter Rummel (1er livre), qui avait été en contact avec Debussy. La plupart des variantes signalées en *ossia* dans l'édition proviennent du manuscrit de travail et sont précédées du sigle A1. Celles des pages 31, 32, 35 figurent dans l'exemplaire personnel de Walter Rummel. Enfin dans « pour les accords », mes. 17, portée supérieure, nous suggérons, dans l'*ossia*, de transformer l'octave si_4-si_5 en $ré_5$-$ré_6$ pour conserver le parallélisme des octaves (hypothèse de Pierre Boulez et Roy Howat).

Claude Helffer

FOREWORD

The First World War, which began in August 1914, was a great shock to Claude Debussy and resulted in a total interruption of his activity as a composer. This totally empty musical gap, to be sure, was also connected to the incurable disease (a rectal cancer) he suffered from and was seemingly unaware of. Despite the circumstances, he agreed to prepare for his publisher Durand, to whom he felt indebted, a complete edition of the works of Chopin, since the standard editions, originating in Germany, were no longer available. Having completed the work in February 1915, he wrote to Durand on 30 June of the same year that he was impatient to leave Paris since he had "a few ideas." Therefore, on 12 July, he moved with his wife to Pourville, a small sea resort a few miles west of Dieppe. The Debussys rented the villa "Mon Coin," located atop a cliff overlooking both the sea and the pebble beach. With his illness in remission, the composer recovered "the faculty of thinking musically." Thus, during this three-month stay, he completed the two-piano piece *En blanc et noir*, the first *Sonate pour violoncelle et piano*, and the second sonata for flute, viola, and harp, as well as the twelve *Études*.

The first reference to the *Études*, in a letter to Durand dated 5 August, suggests that Debussy had already told his publisher about them. Thanks to indications he jotted down in a calendar, we know quite precisely that he worked on them between 25 July and 29 September. Shortly after his return to Paris, probably on 12 October, Debussy went and played his *Études* himself for his publisher, as he was accustomed to for his new works. It was probably at that time that the order of the *Études*, arranged in two books (as in Chopin), was definitively settled (the initial order was quite different) and a decision was made to write "a few words" to explain why the author declined to provide fingerings.

Soon afterwards, however, the remission in the evolution of the disease, which had made the Pourville flowering possible, came to an end. In February 1916, Debussy asked Durand: "What happened to the proofs of the *Études*? It is about the only work I can devote myself to." In the event, Book I came out on 19 April, and Book II on 3 June.

Ricardo Viñes having evidently fallen out of favor with Debussy, the latter intended the whole *Études* to be premiered by the German-born American pianist Walter Rummel, the same pianist who had already played a few *Préludes* in the United States and, especially, together with his wife, Thérèse Chaigneau, had premiered *En blanc et noir* at the Princesse de Polignac's private mansion in January 1916.

Curiously, the first *Études* to be heard were *Études* X and XI, which George Copeland performed in New York, at the Aeolian Hall, on 21 November 1916. Then, Walter Rummel played four (which ones?) in Paris on 14 December in Countess Orlowska's salon at a benefit concert for "L'aide affectueuse aux musiciens;" more partial hearings followed during the composer's lifetime: Madeleine Chossat performed *Études* I, IV, and V at the Casino Saint-Pierre in Geneva on 7 June 1917, and Marguerite Long *Études* XI, X, and I at the Société Nationale de Musique on 10 November 1917; the latter had worked on them with the author in Biarritz towards the end of the summer. Lastly, the Geneva pianist Marie Panthès performed seven *Études* at a concert at which each piece was played alongside Chopin *Études*. Debussy heard about it through his friend Robert Godet; this unusual concert shortly preceded the composer's death in March 1918.

Nothing is known of the public reception at those early performances; it should be noted that few pianists evidently showed much interest in these *Études* during the Interwar Period, except in Vienna, where Schönberg included them three times (two complete performances and a partial one) in the programme of his "Verein für musikalische Privataufführungen," with the pianist Eduard Steuermann. The *Études* were often considered a rather "intellectual" work by a composer whose faculties were diminished.

A change of attitude occurred after the Second World War, Messiaen being among the first to analyze the *Études* in his classes. Subsequently, younger composers such as Boulez and Barraqué passionately studied Debussy's late works, especially the *Études*.

EDITORIAL PRINCIPLES

The text of this edition is the same as the one prepared for the edition of the COMPLETE WORKS OF CLAUDE DEBUSSY, Series I, Volume 6. Details of editing procedure and source variants can be found in that volume's Critical Notes. Editorial accidentals and rests appear in smaller type; editorial ties, slurs and hairpin dynamics are indicated as ⌒—⌐, ◁— and ▷—. All indications in square brackets [ ] are editorial. Any indications in parentheses ( ) appear thus in sources and are not editorial additions.

The principal sources are a working manuscript, the manuscript used by the engraving, held by the Bibliothèque nationale de France, and the first edition. In addition, it takes into account corrections found in the personal copy of Walter Rummel (Book I), who was in contact with Debussy. Most of the variants indicated in *ossia* in this edition originate from the working manuscript and are preceded by the indication A1. Those on pages 31, 32, 35 were found in Walter Rummel's personal copy. Lastly, in "Pour les accords," bar 17, upper staff, we suggest, in *ossia*, to change the B_4-B_5 octave to D_5-D_6 in order to restore the octave parallelism (as conjectured by Pierre Boulez and Roy Howat).

Claude Helffer

Études
Livre I

Quelques mots...

Intentionnellement, les présentes *Etudes* ne contiennent aucun doigté ; en voici brièvement la raison :

Imposer un doigté ne peut logiquement s'adapter aux différentes conformations de la main. La pianistique moderne a cru résoudre cette question en en superposant plusieurs ; ce n'est qu'un embarras... La musique y prend l'aspect d'une étrange opération, où, par un phénomène inexplicable, les doigts se devraient multiplier...

Le cas de Mozart, claveciniste précoce, lequel ne pouvant assembler les notes d'un accord, imagina d'en faire une avec le bout de son nez, ne résout pas la question, et n'est peut-être dû qu'à l'imagination d'un compilateur trop zélé ?

Nos vieux Maîtres, — je veux nommer « nos » admirables clavecinistes — n'indiquèrent jamais de doigtés, se confiant, sans doute, à l'ingéniosité de leurs contemporains. Douter de celle des virtuoses serait malséant.

Pour conclure : l'absence de doigté est un excellent exercice, supprime l'esprit de contradiction qui nous pousse à préférer ne pas mettre le doigté de l'auteur, et vérifie ces paroles éternelles : « On n'est jamais mieux servi que par soi-même. »

Cherchons nos doigtés !

C. D.

By way of introduction

These *Etudes* are deliberately presented without fingering for the following reasons:

It is only logical that a single set of fingering will not suit all shapes and sizes of hand. Some modern editors try to get round this by piling different fingerings on top of one another, which only serves to add to the confusion... Music then starts to resemble some strange mathematics, producing an inexplicable phenomenon, whereby the fingers unaccountably multiply.

The story of Mozart who, as a child prodigy on the harpsichord, finding himself unable to span all notes in a chord, fondly imagined he could hit one with the end of his nose, does not really resolve the problem; and in any case may owe more to the imagination of an over zealous editor than to reality.

Our old Masters — I might mention here "our" admirable harpsichordists — never indicated any fingering, undoubtedly relying on the intelligence of their contemporaries. Similarly, it would be individious to doubt that of today's virtuosi.

In conclusion: the absence of fingering is an excellent exercise, removes the temptation to change the composer's fingering merely for the sake of contradiction, and confirms the old saying anew, "Your own best servant is yourself."

Let us discover our own fingering.

C. D.

à la mémoire de Frédéric Chopin (1810 - 1849)

Claude Debussy
- Été 1915 -

I - pour les «cinq doigts» : *d'après Monsieur Czerny*

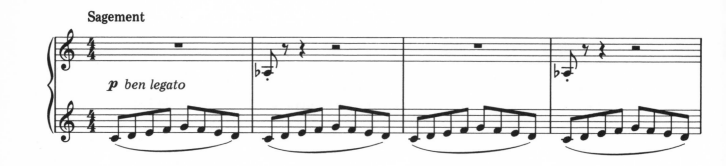

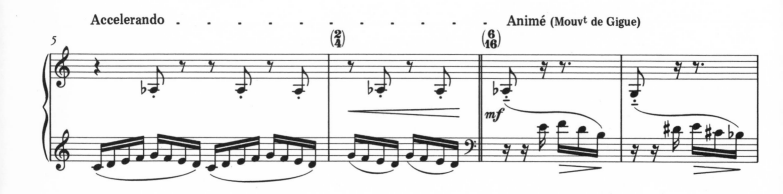

D. & F. 15739

Tous droits réservés pour tous pays.

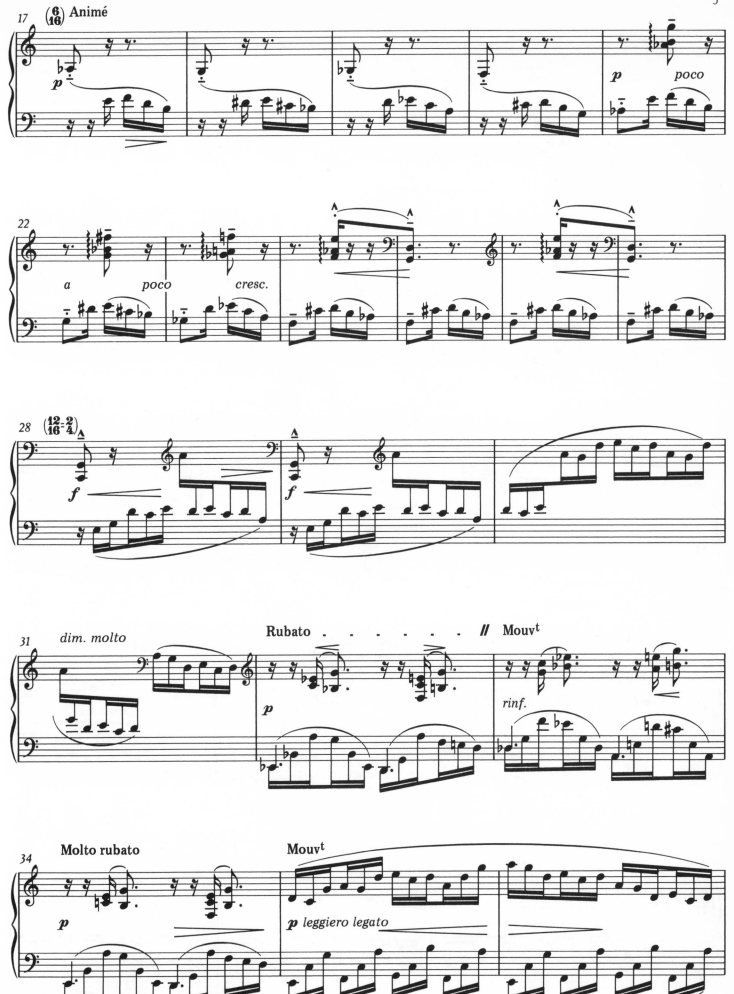

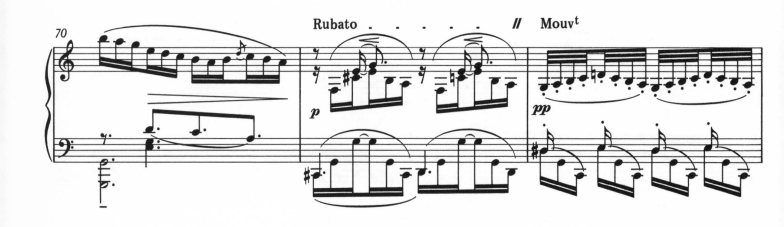

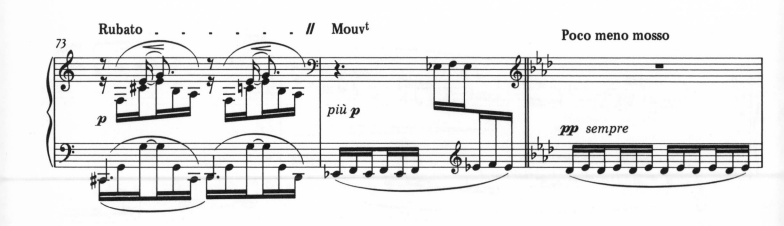

II - pour les Tierces

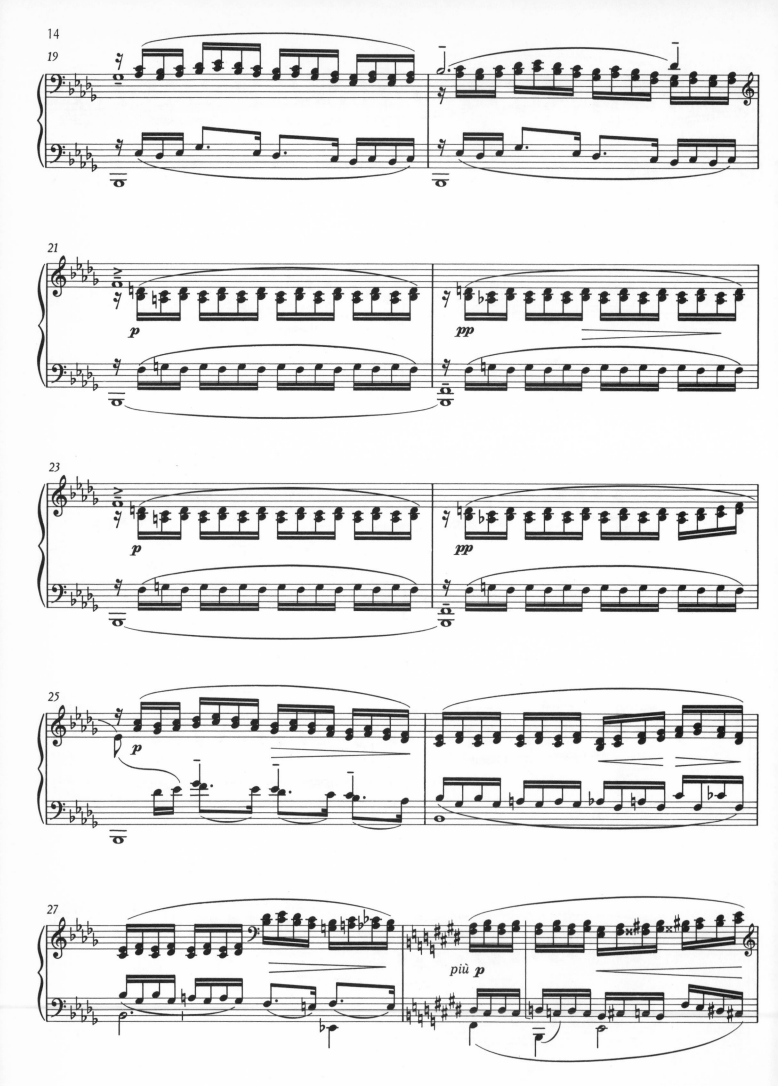

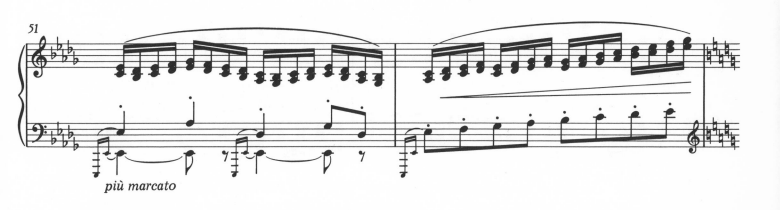

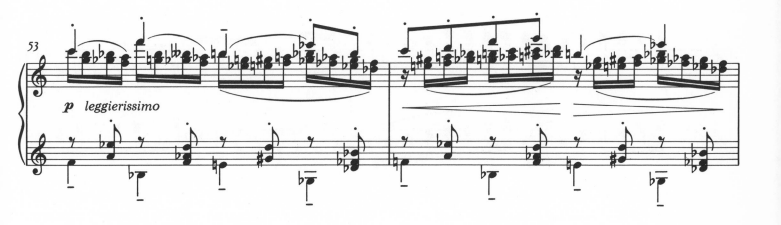

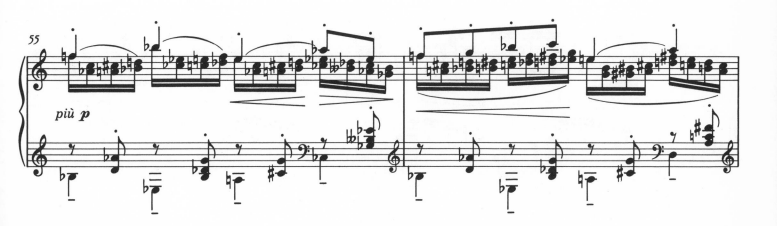

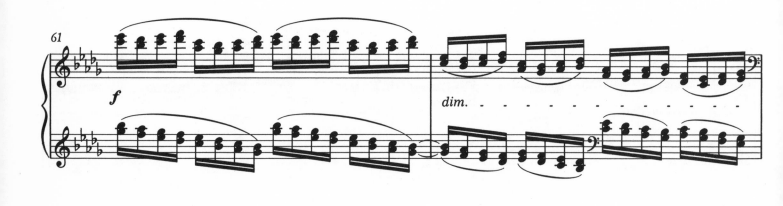

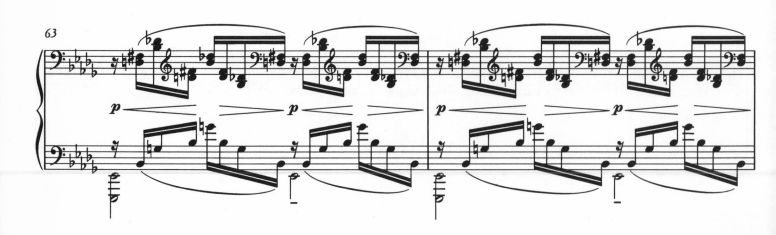

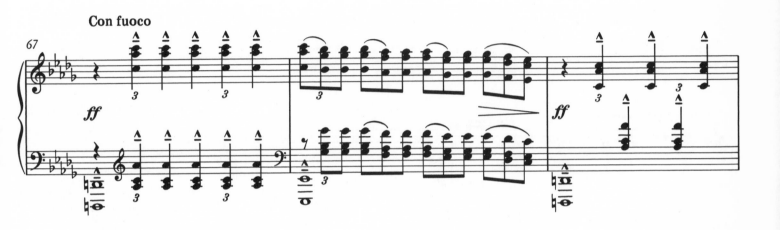

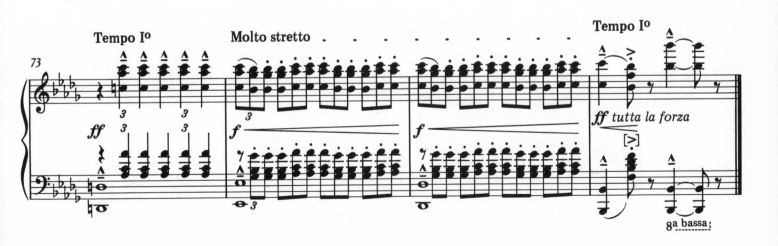

III - pour les Quartes

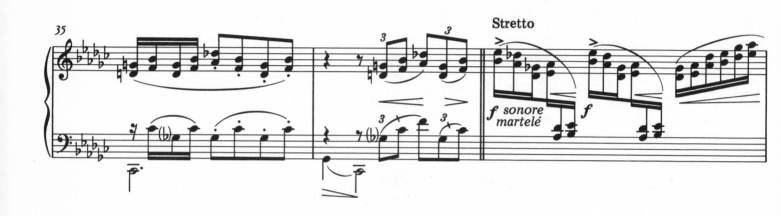

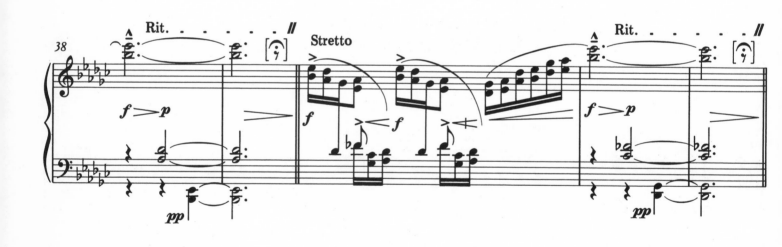

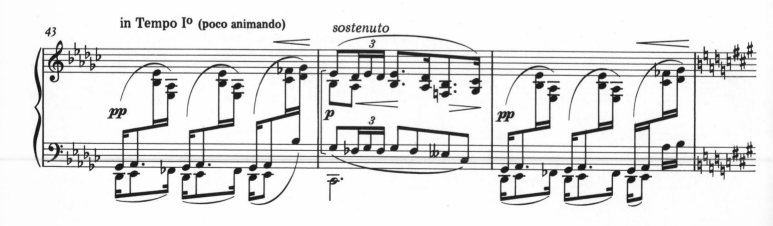

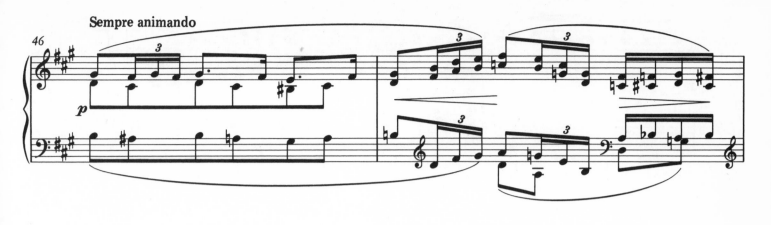

Sempre animando

in Tempo I°

pp scherzare

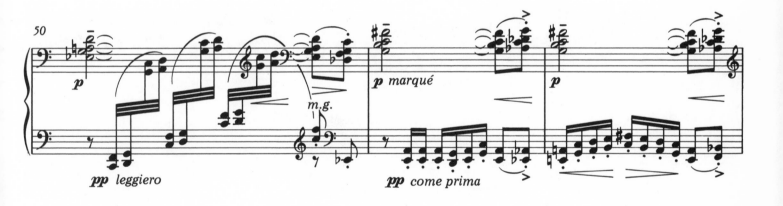

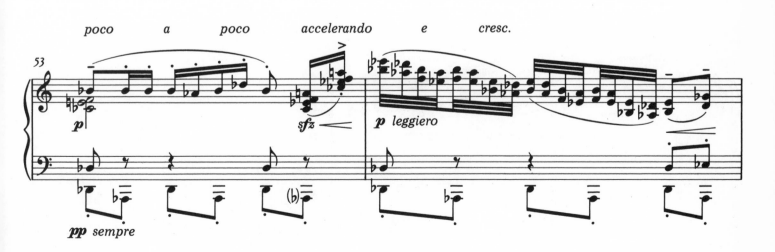

poco   a   poco   accelerando   e   cresc.

IV - pour les Sixtes

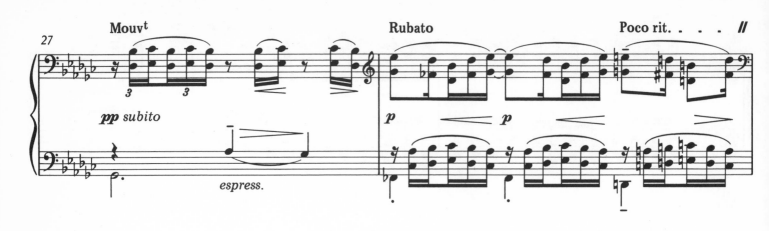

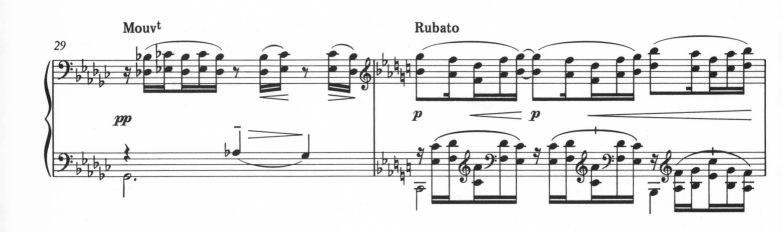

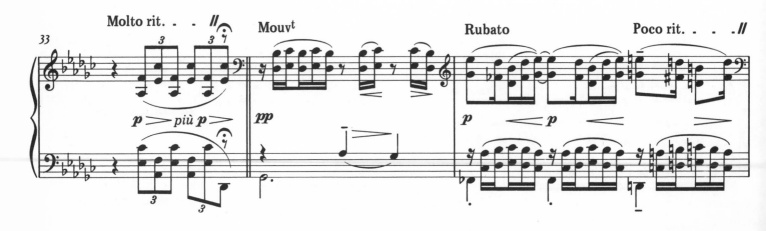

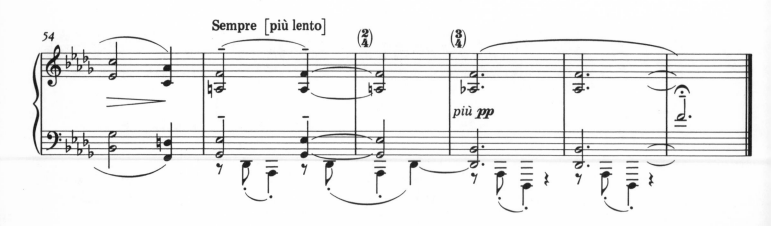

V - pour les Octaves

Joyeux et emporté, librement rythmé

* Voir Avant-propos

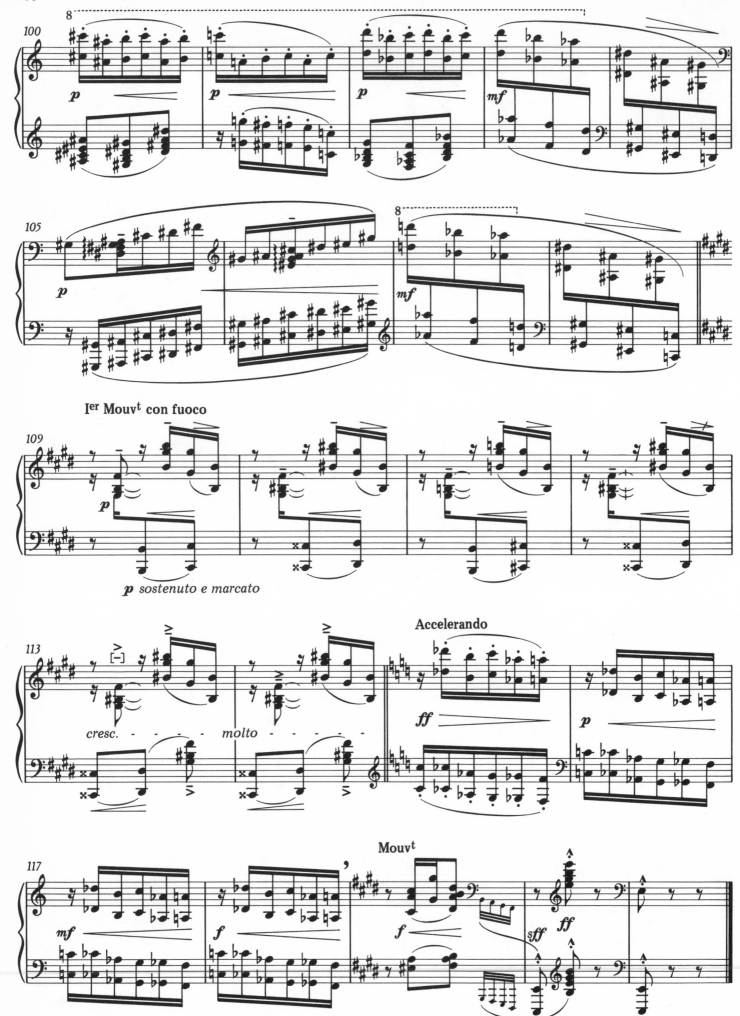

VI - pour les huit doigts*

* *Dans cette étude, la position changeante des mains rend incommode l'emploi des pouces et son exécution en deviendrait acrobatique.*
  The constantly shifting hand position in this Etude makes it difficult to use the thumb, and the performance will become an acrobatic exercise.

D. & F. 15739

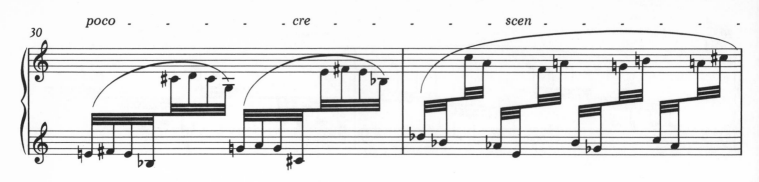

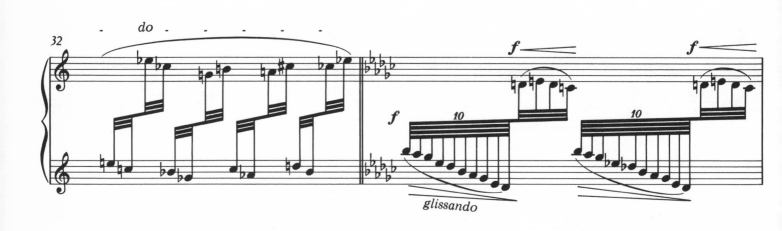

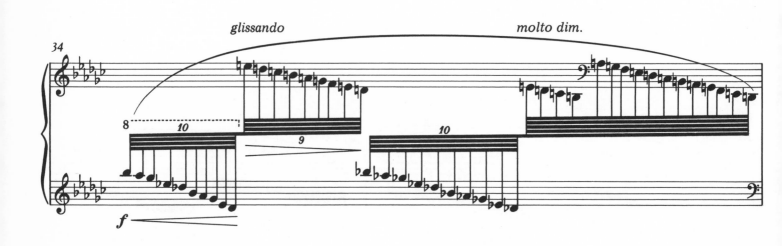

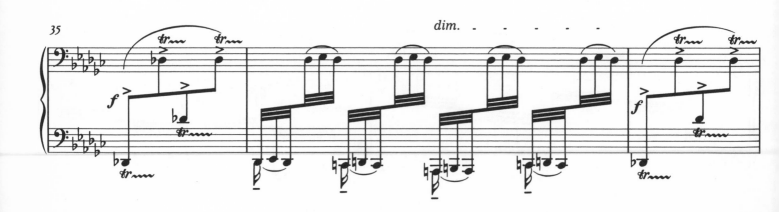

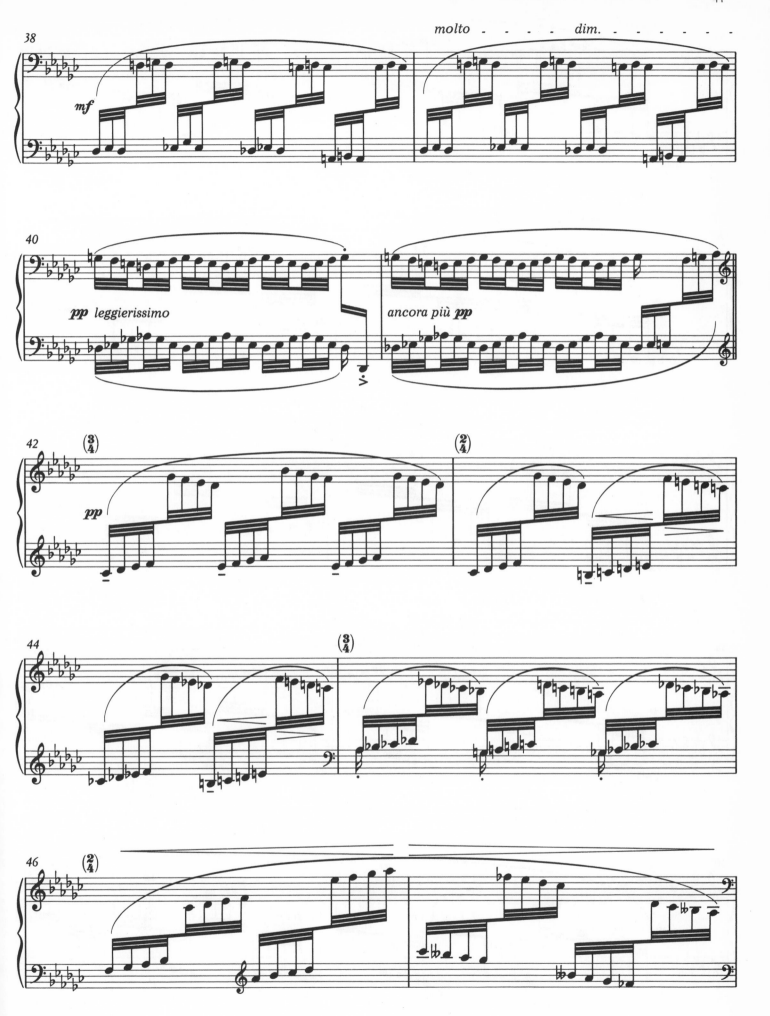

les basses légèrement expressives

p   *cre* -   - *scen* -   - *do*

Études

Livre II

VII - pour les degrés chromatiques

48

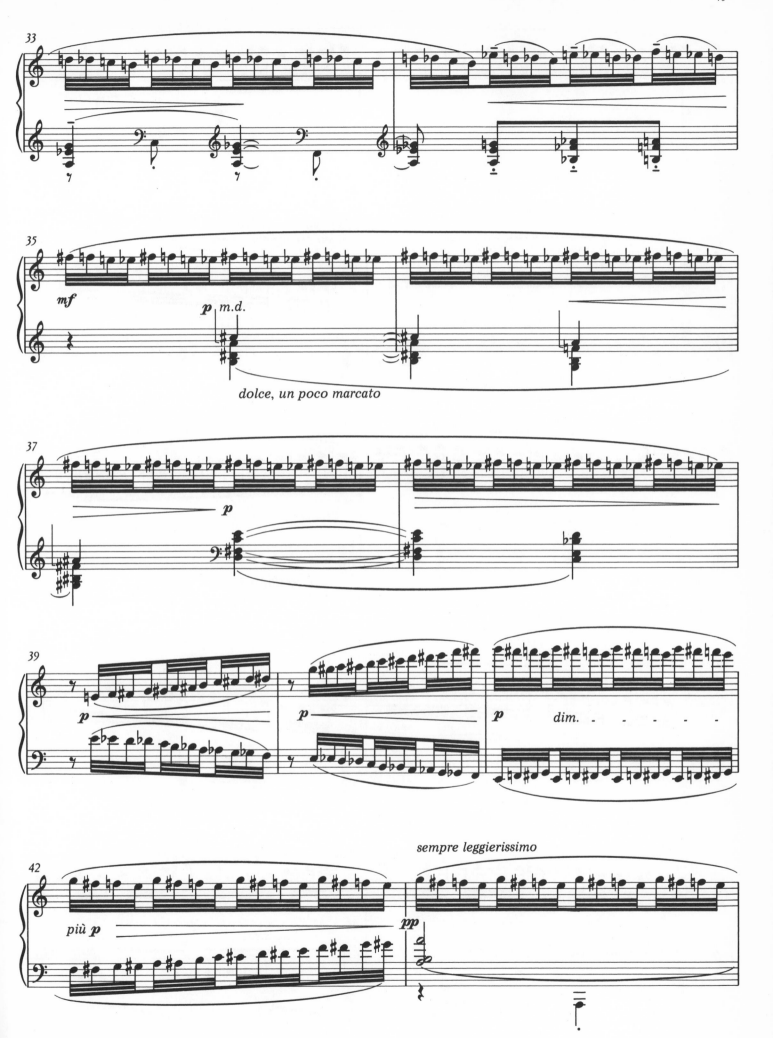

Un poco più sonoro

pp sempre leggierissimo

poco rinforzando

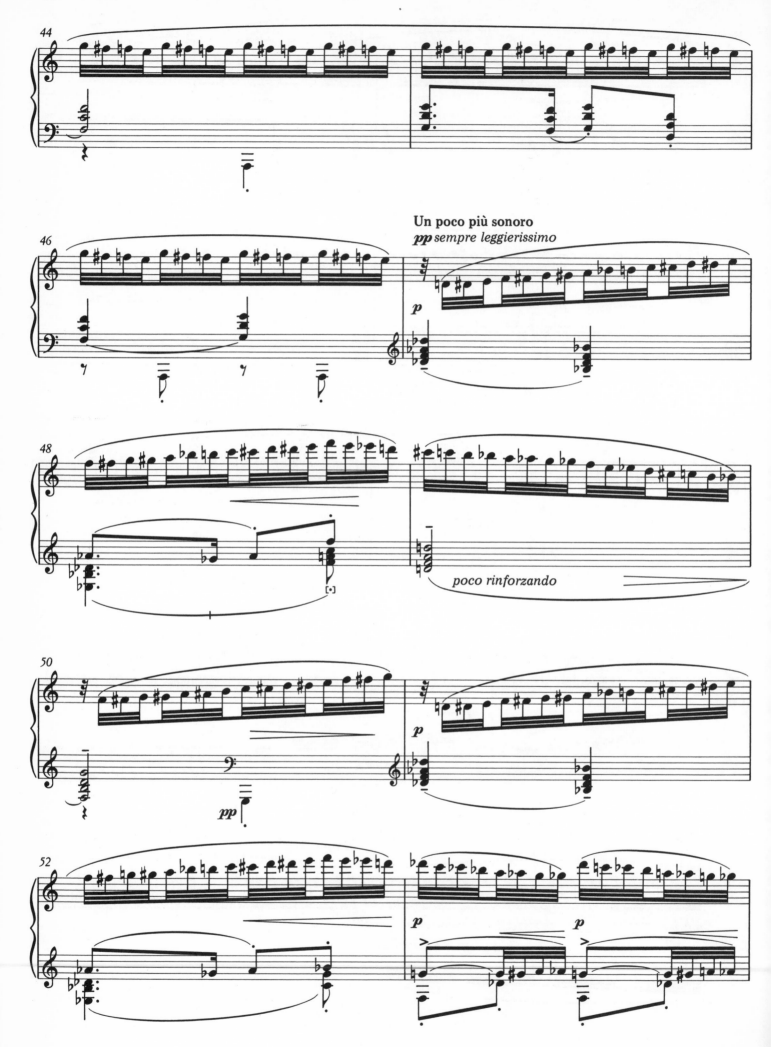

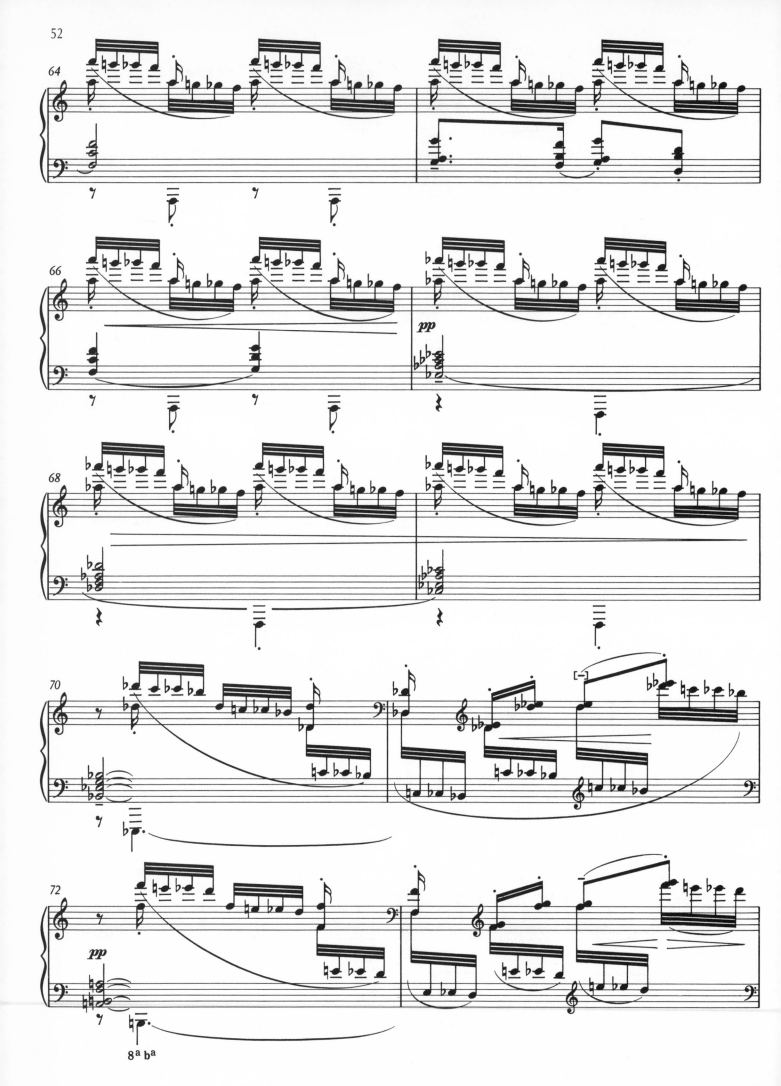

VIII - pour les agréments

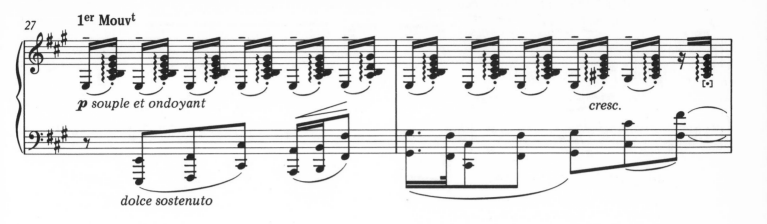

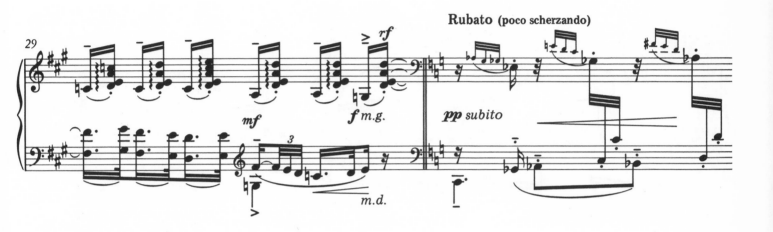

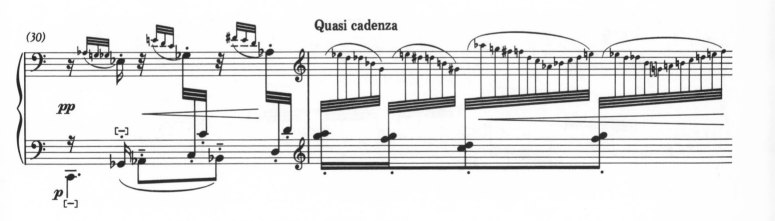

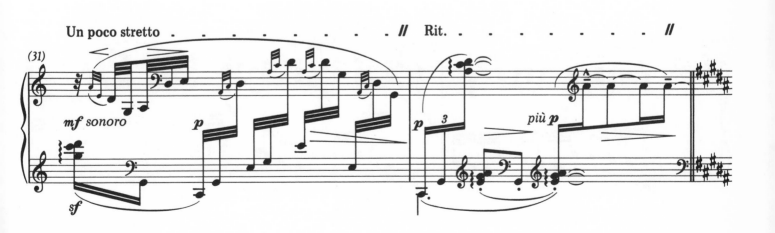

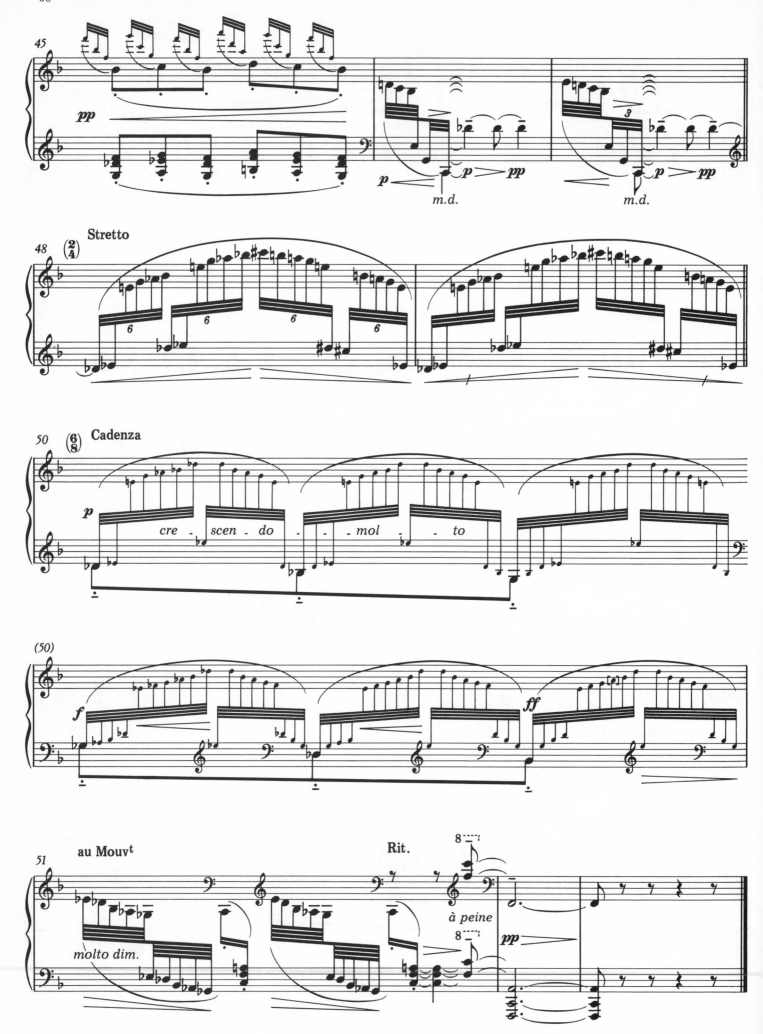

IX - pour les notes répétées

Scherzando

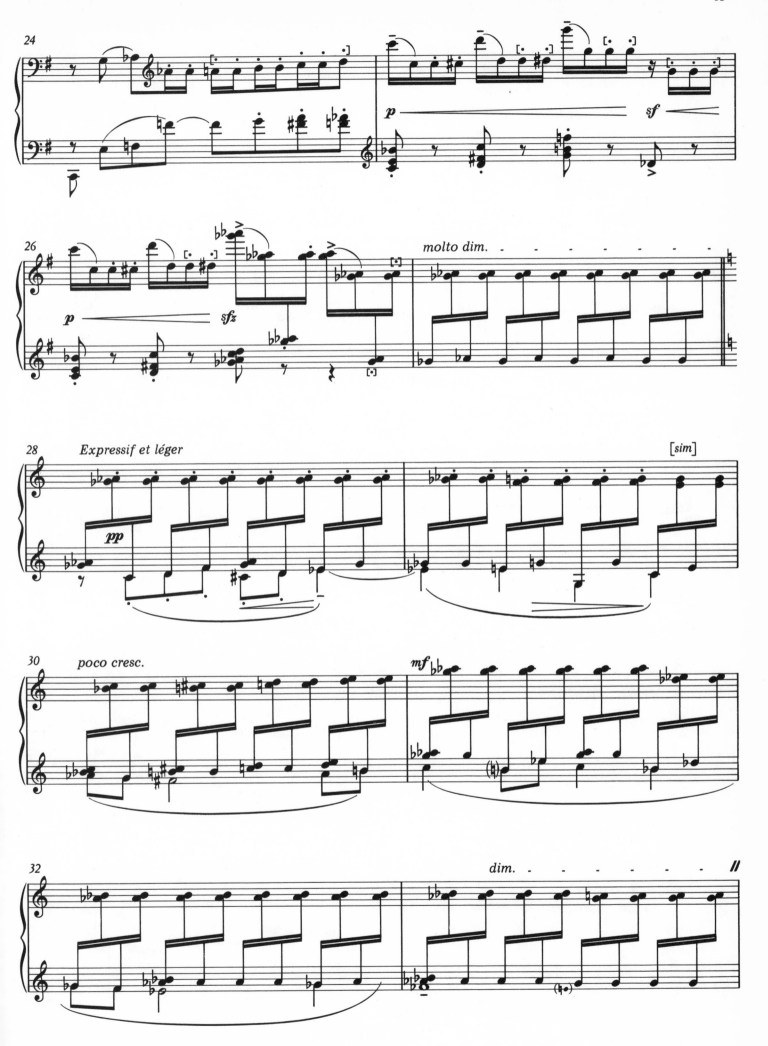

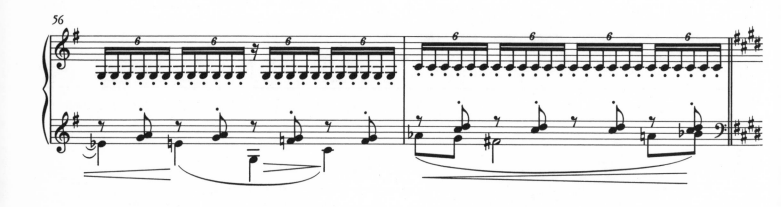

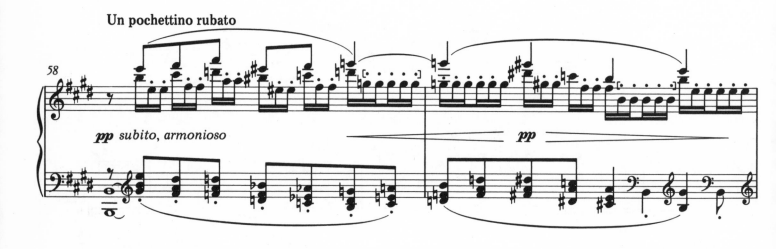

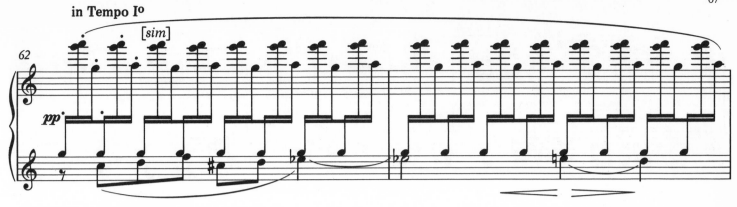

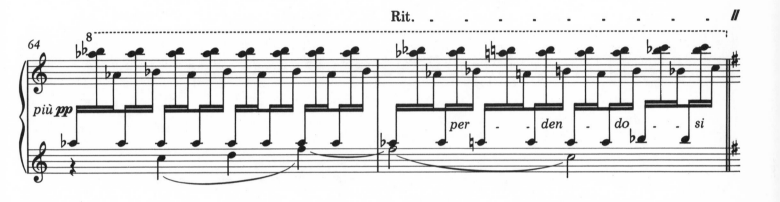

68

D. & F. 15739

X - pour les Sonorités opposées

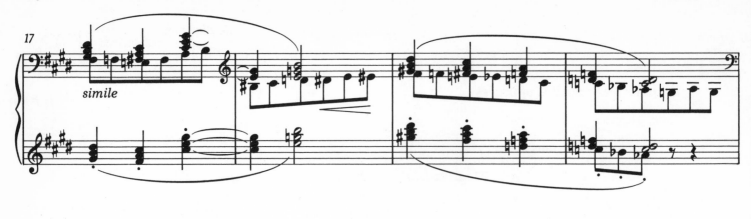

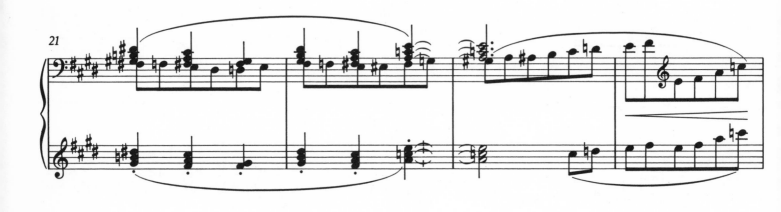

XI - pour les Arpèges composés

dolce e lusingando

XII - pour les accords

Décidé, rythmé, sans lourdeur

*Voir Avant-propos

également aux Éditions DURAND

ŒUVRES COMPLÈTES DE CLAUDE DEBUSSY

CLAUDE DEBUSSY ℂ ŒUVRES COMPLÈTES

nouvelle édition critique
de l'intégrale de l'œuvre répartie en six séries

Volumes reliés pleine toile sous jaquette illustrée, format 230 × 310 mm.

Édition musicologique, textes de présentation bilingues (français-anglais) : avant-propos (chronologie des œuvres), bibliographie sélective, notes critiques (description des sources), variantes, appendices et fac-similés.

SÉRIE I : ŒUVRES POUR PIANO

Volume 1
Danse bohémienne
Danse (Tarentelle styrienne)
Ballade (Ballade slave)
Valse romantique
Suite bergamasque
Rêverie
Mazurka
Deux Arabesques
Nocturne

Volume 2
Images (1894)
Pour le piano
Children's corner

Volume 3
Estampes
D'un cahier d'esquisses
Masques
L'Isle joyeuse
Images (1re Série)
Images (2e Série)

Volume 4
Morceau de concours (Musica)
The little Nigar
Hommage à Haydn
La plus que lente
La Boîte à joujoux
Six Épigraphes antiques
Berceuse héroïque
Pour l'Œuvre du « Vêtement du blessé »
Élégie
Les Soirs illuminés par l'ardeur du charbon
Intermède

Volume 5
Préludes (1er Livre)
Préludes (2e Livre)

Volume 6
Études

Volume 7
Œuvres pour piano à 4 mains
Symphonie
Andante cantabile
Ouverture Diane
Triomphe de Bacchus
Intermezzo
L'Enfant prodigue
Divertissement
Printemps

Volume 8
Œuvres pour deux pianos
Prélude à l'après-midi d'un faune
Lindaraja
En blanc et noir

Volume 9
Œuvres pour piano à 4 mains
Première Suite
Petite Suite
Marche écossaise
La Mer
Six Épigraphes antiques
Deux Danses
(réduction pour deux pianos)